SOPA DE LIBROS

© Del texto y de las ilustraciones: Andrés Guerrero, 2005
© De esta edición: Grupo Anaya, S. A., 2005
Juan Ignacio Luca de Tena, 15. 28027 Madrid
www.anayainfantilyjuvenil.com
e-mail: anayainfantilyjuvenil@anaya.es

1.ª edición, octubre 2005; 2.ª impr., febrero 2006
3.ª impr., diciembre 2006

Diseño: Manuel Estrada

ISBN: 84-667-4710-9
Depósito legal: M. 49.671/2006

Impreso en ORYMU, S. A.
Ruiz de Alda, 1
Polígono de la Estación
Pinto (Madrid)
Impreso en España - Printed in Spain

Las normas ortográficas seguidas en este libro son las establecidas por la
Real Academia Española en su última edición de la *Ortografía*, del año 1999.

Guerrero, Andrés
Gato Negro Gato Blanco / Andrés Guerrero ; ilustraciones del
autor. — Madrid : Anaya, 2005
80 p. : il. col. ; 20 cm. — (Sopa de Libros ; 108)
ISBN 84-667-4710-9
1. Gatos. 2. Búsqueda de la propia identidad.
087.5:82-3

Gato Negro
Gato Blanco

Andrés Guerrero

Gato Negro
Gato Blanco

Ilustraciones del autor

ANAYA

Le hubiera gustado ser una pantera.
A veces, soñaba que lo era.

Gato Negro no tenía nombre,
tampoco le hacía falta, nadie lo
llamaba. Como mucho, le decían:
Misi, misi.

Era un gato callejero.

Gato Negro era ágil y fuerte.
Tenía los ojos verdes; le hubiera
gustado ser una pantera.

A veces, soñaba que lo era.

Gato Blanco tenía nombre,
pero era muy cursi: Maulin,
y siempre lo llamaban así.
Gato Blanco era torpe, comía
demasiado.
Tenía los ojos azules como
el mar, aunque un poco tristes.
Nunca soñaba, solo dormía.

14   Gato Negro vivía en
un barrio lejos de Gato Blanco.
En la buhardilla de un antiguo
almacén. Allí dormían muchos
gatos. No todos eran buenos
amigos, de vez en cuando había
alguna pelea.

Gato Negro era un gato fuerte,
cuando se enfadaba se le erizaba
el pelo. Parecía una pantera.

La vida de Gato Negro no era
fácil.

Salía por las noches, cazaba
ratones y buscaba comida
en los cubos de basura.

También tenía que huir
de los coches y de las motos,
y de los niños que le tiraban
piedras.

Claro que no todo el mundo
era así. Algunas noches,

la abuela del callejón sacaba
una lata rebosante de comida.
Allí se juntaban muchos gatos
y se repartían la cena según
la fuerza de cada uno.

La vida de Gato Negro
no era fácil, pero era
emocionante.

Corría por los tejados,
merodeaba por el parque
en busca de pájaros descuidados.

Temía a los perros, no a todos,
y odiaba a las ratas.

En invierno pasaba frío
y en verano dormía a la sombra.

Gato Blanco vivía en
una lujosa casa con jardín,
lejos del barrio de Gato Negro.

Gato Blanco no había conocido
otro barrio, ni tan siquiera otro
hogar. Por no conocer,
no conocía más allá
de la puerta de su jardín.

Nunca había salido
a la calle. Lo llevaron allí
de pequeño, cuando era
un lindo gatito blanco.

Cuando era joven y todavía ágil y travieso, trepaba al árbol del jardín, donde tomaba el sol mientras acechaba a los pájaros con ojos golosos.

Ahora tenía cuatro años y algún kilo de más. Ya no trepaba, ni sentía un hormigueo en la tripa cuando miraba a los pájaros.

Era un gato perezoso.

En casa de Gato Blanco vivían varias personas...

Laura, que era su preferida. Papá, un hombre alto que leía el periódico mientras desayunaba tostadas y Mamá, una mujer rubia que desayunaba tostadas sin leer el periódico.

Mamá era quien hacía la
comida de Gato Blanco.
Aun así, él prefería a Laura.
Laura lo mimaba,
lo acariciaba, lo peinaba,
le daba golosinas, le cantaba
canciones y, todas las noches,
dormían en la misma cama,
rodeados de muñecos.

Era un gato blanco
que hacía ron, ron...
muy acurrucado
en su almohadón.

Una vida fácil,
pero poco emocionante.

Una mañana, cuando Gato Negro volvía a su buhardilla, se encontró con una desagradable sorpresa.

Diez o doce de sus compañeros estaban mirando con ojos tristes cómo derribaban el antiguo almacén.

Máquinas y hombres
acabaron en unos minutos
con lo que hasta ese momento
había sido su hogar.
Los gatos callejeros se
despidieron unos de otros.

Cada uno

tomó una dirección.

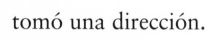

Sin importarles
demasiado
dónde

iban los demás.

De todas formas,
un gato vagabundo
no está triste
demasiado tiempo.

Gato Negro sabía
desenvolverse solo. Estaba
acostumbrado a cambiar de vida.
Se había mudado de barrio varias
veces, y de casa muchas más.
Incluso en ocasiones, como
ahora, no había tenido casa.

Pero sí tenía hambre.
Gato Negro se dejó guiar
por su instinto y se fue por
donde había venido.

No era la primera vez que Gato
Blanco se quedaba solo en casa.
Cuando esto sucedía, le dejaban
comida para varios días y
la gatera de la cocina abierta,
así podía entrar y salir a sus
anchas, de la casa al jardín
y del jardín a casa.

Pero aquel día, Gato Blanco se
sintió distinto. Tal vez fue el olor
del viento o el color del cielo. Un
especial desasosiego creció en él
y, por primera vez en su vida de

gato perezoso, se preguntó qué habría al otro lado de la puerta del jardín.

Con un esfuerzo al que ya no estaba acostumbrado, y ayudado por la curiosidad, trepó a lo alto del muro.

Si Gato Blanco no hubiera sido blanco, se habría vuelto blanco del susto.

En el muro
se encontró,
frente a frente,
a un enorme gato
negro, con el pelo
erizado y las uñas fuera.
Parecía una pantera.
Gato Negro lanzó
un maullido amenazador.

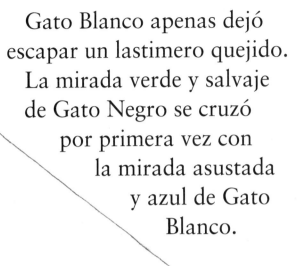

Gato Blanco apenas dejó
escapar un lastimero quejido.
La mirada verde y salvaje
de Gato Negro se cruzó
por primera vez con
la mirada asustada
y azul de Gato
Blanco.

Con la rapidez del que
está acostumbrado a evitar
cualquier peligro, Gato
Negro saltó ágilmente
y se perdió entre los arbustos
del parque.

Gato Blanco dudó un instante,
después, su instinto de gato
lo empujó, y saltó a la calle.

Pero lo hizo demasiado tarde,
ya no había ni rastro de Gato
Negro.

Gato Blanco caminaba
despacio, pegado al muro.
Miraba precavido, pues
para él todo era extraño.
Si no se hubiera perdido,
hubiera regresado a casa, pero
ya no sabía cómo hacerlo.
Gato Blanco siguió
caminando..., sin saber hacia
dónde. Se sentía solo..., nunca
se había sentido así, sus ojos
azules como el mar temblaron
un instante y casi lloró.

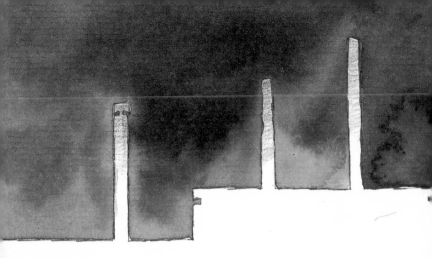

Aquella noche llovió
como nunca, era imposible
andar por ahí. Gato Negro
buscó refugio, no le gustaba
el agua. En realidad la odiaba.
Todos los gatos odian el agua,
sobre todo los gatos
vagabundos.

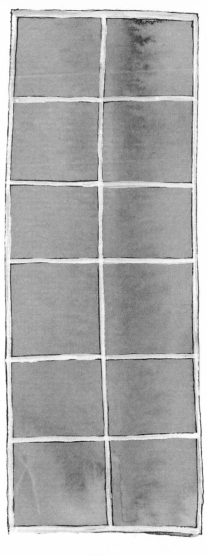

Gato Blanco en cambio nunca se había mojado. Solo un poco cuando Laura le echaba colonia.

Siempre había visto llover detrás de los cristales, cerca de la calefacción. Creía que la lluvia solo servía para dormir, como una canción.

No encontró nada mejor
y se refugió tras la verja
de una vieja tienda,
en el hueco de un pequeño
soportal. El agua formaba
charcos bajo sus patas,
estaba helada. Rodeado
de soledad, agotado y triste,
Gato Blanco se quedó dormido.

Por la mañana, Gato Blanco
se despertó muy temprano.
Ya no llovía. Estaba empapado
y temblando de frío. Sus tripas
sonaban como un ronroneo,
distinto a como suenan
cuando está zalamero y
satisfecho. Era hambre.

No tuvo mucho tiempo
para lamentarse, unos ojos
verdes se clavaron en él;
Gato Negro lo observaba
con fijeza.

La mirada verde y salvaje
de Gato Negro se fundió
con la mirada tranquila y azul
de Gato Blanco. Esta vez,
Gato Blanco no tenía miedo.

Gato Negro comprendió
enseguida que aquel gato
no era un gato vagabundo,
estaba demasiado gordo.

Gato Blanco siguió a Gato
Negro, Gato Negro sabía
que Gato Blanco estaba solo
y dejó que lo siguiera.

Pasaron los días,
Gato Blanco intentaba vivir
como un gato vagabundo.
   Al principio no progresaba
mucho. Aún estaba
demasiado gordo para
seguir a Gato Negro
por los tejados.

Sin quererlo, a veces soñaba
con volver a su antigua casa,
entonces sus ojos se llenaban
de lágrimas y parecían el mar.

Pero ni siquiera un gato
mimado está triste demasiado
tiempo, y poco a poco fue
adaptándose a su nueva vida.

Era difícil cazar ratones,
y la comida que encontraban
en los cubos de basura no era
suficiente para mantenerse gordo.

Así, sin más remedio, adelgazó.
Con el tiempo se convirtió en
un gato ágil y fuerte.

Gato Negro y Gato Blanco
se hicieron buenos amigos, juntos
buscaban su comida, correteaban
por los tejados las noches de luna
y vagaban por el parque en busca
de pájaros descuidados...

Eran un par de gatos
vagabundos.

Ahora, Gato Blanco soñaba
con pájaros y ratones. Laura era
ya solo un recuerdo escondido
en su memoria. Un recuerdo
cada día más leve y difuso.

Había llegado la primavera.
Realmente era ya la tercera
primavera de Gato Blanco
como gato callejero.
En todo este tiempo
había aprendido muchas
cosas, entre ellas que era
fácil cazar pájaros volanderos.

Dentro del parque
los dos gatos se ocultaron
bajo un aligustre.
Allí esperaron pacientemente.

Una señora con un bolso muy grande daba de comer a las palomas. Estas la rodeaban, se posaban en sus hombros y hasta comían de sus manos.

Algunos gorriones confiados revoloteaban alrededor y se posaban furtivamente con la intención de atrapar alguna de las migas perdidas por el suelo.

Un breve descuido era todo
lo que necesitaba Gato Negro.
Se pegaba al suelo, agazapado
como una pantera. Fijaba
la mirada en uno de aquellos
pájaros. Cuando este estaba
a un centímetro de posarse en
el suelo... saltaba como un
relámpago y desaparecía
un instante después en los
arbustos con su presa entre
los dientes.

Gato Blanco se pegó al suelo,
agazapado como una pantera.

Fijó su mirada en uno de aquellos
pájaros y cuando este estaba
a un centímetro de posarse...
saltó como un relámpago.

¡Maulin!

El grito hizo que Gato Blanco
fallara en su ataque. Todos los
pájaros, incluidas las palomas,
volaron asustados.

Gato Blanco quedó paralizado.
Tan sorprendido que no supo
huir. Se le erizó el pelo, arqueó
el cuerpo y enseñó los colmillos
mientras emitía un maullido
amenazador.

Si hubiera sido negro habría
parecido una pantera.

Pero la niña no tenía miedo.

—¡Maulin! ¿Eres tú?

Se agachó cerca de él y mirándole de frente le habló.

—¡Maulin! Ven aquí bonito. ¿Dónde has estado?

La niña extendía los brazos hacia él. Gato Blanco retrocedía.

¿Acaso conocía él a aquella niña que le hablaba en tono cariñoso? ¿Quién era Maulin?

—Soy Laura..., ¡Laura! ¿Te acuerdas de mí?

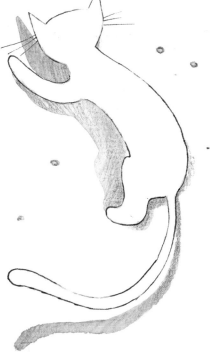

Gato Blanco desconfiaba, aunque su gruñido era cada vez más débil y su pelo ya no estaba erizado. Los recuerdos confundían a Gato Blanco. Era Laura, pero... ¿qué era Laura en su vida? Solo un leve recuerdo. Casi perdido...

Era un gato blanco
que hacía ron, ron...,
muy acurrucado
en su almohadón.
Abría los ojos,
se hacía el dormido,
movía la cola
con aire aburrido...

Aquella canción hizo que sus recuerdos volvieran en tropel.

¡Claro que se acordaba!

Recordaba que fue un gato mimado y torpe, tan gordo que no podía saltar ni correr; que llevaba una vida segura y aburrida, encerrado entre cuatro paredes y un pequeño jardín en el que no había ratones.

Pero hacía tanto tiempo..., aquello era el pasado.
Ahora era un gato vagabundo, libre y casi salvaje... como una pantera, dispuesto a huir y perderse entre los arbustos.

Laura repetía la canción... *Era un gato grande*... La memoria lo acariciaba tiernamente con suaves recuerdos: Laura lo peinaba y lo mimaba. Le leía cuentos y le cantaba canciones, y todas las noches dormían en la misma cama, rodeados de muñecos.

Gato Negro lo esperaba. También una azarosa vida de gato vagabundo. Podía escapar, pero el llanto de Laura lo retuvo.

—Maulin.

Gato Blanco volvió la cabeza y pudo ver a Gato Negro entre los arbustos...

—Ella te quiere —le dijo con una mirada.

La mano de la niña rozó
su frente, Gato Blanco cerró
los ojos. Se restregó contra
ella y ronroneó cariñosamente.

Por última vez, la mirada
verde y salvaje de Gato Negro
se fundió con la mirada azul
y tranquila de Gato Blanco.

Bastó una mirada para decirse
adiós. Al separarse, ambos
comprendieron que tenían
mucho en común, al fin
y al cabo los dos
eran gatos,
¿no?

Epílogo

Gato Negro se alejó despacio. Si se fue triste o no pensando en Gato Blanco, no lo sabremos nunca.

De todas formas, un gato vagabundo no está triste demasiado tiempo.

Escribieron y dibujaron…

Andrés
Guerrero

Andrés Guerrero nació en Trujillo (Cáceres), en 1958. Desde niño soñó con ser dibujante, y se ha dedicado por entero al mundo de la ilustración, pero también ha publicado varias obras como autor del texto y de la ilustración. ¿Se siente más ilustrador que autor o al revés?

—No lo sé; me inicié en la literatura infantil desde la ilustración, pero con el tiempo y tímidamente escribí mis propios libros. Ahora no existe una diferencia clara, al escribir e ilustrar a la vez ambas cosas forman parte del proceso de creación del libro. No puedo separarlas.

—*La historia de* Gato Negro Gato Blanco *¿tiene algún elemento biográfico?*

—Es una historia de «personas», creo que todos nos hemos sentido alguna vez como un gato vagabundo. Durante un tiempo en mi vida fui como Gato Negro, ahora creo que los afectos y el tiempo me han convertido en Gato Blanco. Lo importante es poder elegir nuestra vida y cómo vivirla.

—*Al final, cada uno de los gatos vuelve al punto de partida, pero ya no son los mismos, ¿ha querido transmitir algún mensaje a los lectores?*

—Yo creo que las historias siempre están por encima, o por delante, de los mensajes. Al escribir nunca pienso en si estoy transmitiendo un mensaje o no, aunque es inevitable. Lo más bonito es que nunca el mensaje es el mismo, cada lector encuentra sus mensajes, ocultos siempre en el entramado de lo narrado. Detrás de *Gato Negro Gato Blanco* hay muchas historias, y todos alguna vez volvemos al punto de partida, y, desde ahí, echamos a caminar de nuevo.

—*Es un gran conocedor de los gatos, ¿se ha basado en un gato concreto?*

—En casa viven cuatro gatos, dos «chicos» y dos «chicas», les he hecho docenas de fotografías y montones de dibujos. Aun así, no es fácil captar el espíritu de un gato. Por el contrario, creo que en el texto, la forma de ser de Gato Negro es muy parecida a la de un gato real, a un gato vagabundo. Bueno..., Gato Blanco también se parece a un gato, los dos tienen mucho en común con gatos reales.

—*En este libro y en* Una jirafa de otoño, *los personajes principales son animales, ¿le parece importante que los niños establezcan relación con los animales ya sea en la realidad o a través de la literatura?*

—Convivir con animales hace que seamos mejores personas, más comprensivos y más tolerantes. En la literatura encontramos maravillosos ejemplos de amistad entre animales y niños. La vida en las ciudades no siempre nos permite tener animales como amigos, y ahí la literatura puede ser de gran ayuda. Lo ideal sería que todos pudiéramos convivir con alguno de ellos.